'SAIS YDI O, MISS!'

BRENDA WYN JONES

Gwasg
Gwynedd

Argraffiad cyntaf — Medi 2000
Ail argraffiad — Medi 2002
Trydydd argraffiad — Medi 2010

© y testun: Brenda Wyn Jones, 2000
© y lluniau: Jac Jones, 2000

ISBN 978 0 86074 166 4

Mae'r cyhoeddwyr yn cydnabod cefnogaeth ariannol
Cyngor Llyfrau Cymru.

Cyhoeddwyd gan
Wasg Gwynedd, Pwllheli

i blant Ysgol Pen y Bryn
ddoe a heddiw

Pennod 1

'Wel, gawsoch chi un?'

'Be?'

'Ifaciwî, siŵr iawn.' Roedd Robin wedi dotio ar y gair newydd sbon.

'Naddo,' meddai Glyn yn siomedig. 'Be amdanoch chi?'

'Do. Mae 'na hogan ifaciwî yn cyrraedd acw heno, medda Mam.'

'Hogan? Ond fydd honno ddim yn hwyl o gwbwl.'

'Na fydd, rwyt ti'n iawn. Ond mae Gwen wrth ei bodd.'

'Ydi, mae'n siŵr. Ac mi gawn ninna dipyn o lonydd,' gwenodd Glyn.

Efaill Robin oedd Gwen ac roedd hi'n gallu bod yn dipyn o boen weithiau, yn mynnu dilyn y bechgyn fel ci bach i bob man.

'Cawn, diolch byth. Mi fydd hi mor brysur efo'r ifaciwî.'

'Hei, tyrd yn dy flaen. Mae'n well i ni frysio, neu mi fyddwn ni'n hwyr i ginio.'

Ar eu ffordd adref o'r capel yr oedd y ddau ffrind.

Yr ifaciwîs oedd testun sgwrs pawb y bore hwnnw, pawb yn llawn ffwdan wrth feddwl am yr holl blant oedd ar eu ffordd i ardal Bethesda. Doedd neb wedi arfer siarad rhyw lawer o Saesneg, ond mi fyddai'n rhaid ymdrechu i wneud y plant druan a'u mamau'n gartrefol. Brysiodd y gwragedd adref i baratoi cinio

dydd Sul, gan adael y dynion i sgwrsio y tu allan i'r capel. Y sefyllfa yn Ewrop oedd testun pob sgwrs. Tybed fyddai yna ryfel? Fyddai'n rhaid iddyn nhw fynd i ffwrdd i ymladd, fel eu tadau yn y Rhyfel Mawr yn 1914? Roedd pethau'n edrych yn ddu iawn, ond efallai y byddai Neville Chamberlain, y Prif Weinidog, yn gallu perswadio'r hen Hitler yna i roi'r gorau i'w driciau. Gobeithio hynny, wir.

Ar ganol y sgwrs, a phawb yn gwneud eu gorau glas i gysuro ei gilydd, rhedodd Mr Jones y Siop allan i'r stryd. Roedd golwg wyllt arno a'i wyneb yn wyn fel y galchen.

'Rhyfel!' meddai'n llawn cynnwrf. 'Mae'r Prif Weinidog newydd fod ar y weiarles rŵan yn dweud.'

'Rhyfel? Pryd?' Roedd pawb wedi dychryn wrth glywed y newydd syfrdanol.

'Pump o'r gloch heddiw. Mae o newydd ddweud. Does gynnon ni ddim dewis, medda fo. Ddim wedi i Hitler ymosod ar wlad Pwyl echdoe.'

'Be arall ddwedodd o?' Dyn y siop oedd un o'r ychydig bobl gyda radio ym mhentref bach Carneddi, felly roedd pawb yn dibynnu arno i gael y manylion i gyd.

'Rhybuddio pawb fod yn rhaid i ni gario 'mlaen efo'n gwaith a gwneud ein gorau glas.'

'A does 'na ddim gobaith y bydd o'n newid ei feddwl?'

'Nac oes. Mi fydd hi'n ryfel arnon ni erbyn bump o'r gloch pnawn heddiw yn bendant.'

Edrychodd y ddau fachgen ar ei gilydd yn syn. Rhyfel? Roedd yn anodd credu'r peth! Er bod yna bedwar o blant dieithr wedi dechrau yn Ysgol Gerlan echdoe, nid ifaciwîs go iawn oedd y rheiny. Roedd ganddyn nhw berthnasau yn byw yn y pentref yn barod a'u rhieni wedi eu hanfon atyn nhw i aros am dipyn, rhag ofn i ryfel ddechrau. Ond erbyn hyn roedd pethau'n edrych yn waeth o lawer. Cannoedd o blant Lerpwl wedi ffoi o'u cartrefi'n barod a'r rhyfel yn mynd i ddechrau o ddifrif? Doedd neb wedi breuddwydio, wrth gychwyn i'r capel y bore hwnnw, y byddai bywyd pob un ohonyn nhw'n wahanol iawn o hynny allan.

★ ★ ★

Y rhyfel oedd testun pob sgwrs ar iard Ysgol Gerlan fore trannoeth hefyd. A'r ifaciwîs, wrth gwrs. Roedd cannoedd ohonyn nhw wedi cyrraedd yr ardal y noson cynt, pob un yn edrych yn flinedig ac yn ddigalon iawn. A pha ryfedd, a hwythau wedi gorfod gadael ar gymaint o frys? Roedd rhai ohonyn nhw wedi bod yn aros mewn canolfan yng Nghaernarfon ers dyddiau, yn disgwyl cael eu symud i'w cartrefi newydd. Doedd dim gobaith iddyn nhw gael mynd i'r ysgol a gweld eu ffrindiau am wythnos arall chwaith, am nad oedd digon o le i bawb yn yr ysgolion lleol.

'Hei, dydi hyn ddim yn deg!'

'Be sy ddim yn deg?'

'Ni ydi'r unig rai sy'n gorfod mynd i'r ysgol heddiw.'

'Ia. Mae plant yr ysgolion eraill i gyd yn cael aros adra tan dydd Llun nesa.'

'Pwy sy'n dweud?'

'Ro'n i'n meddwl bod pawb yn mynd yn ôl fory.'

'Roeddan nhw i fod i fynd.'

'Oeddan, ond dydyn nhw ddim rŵan am fod yr ifaciwîs wedi cyrraedd.'

'Maen nhw'n cael wsnos arall o wyliau.'

'Pawb ond ni.'

'Pam na chawn ninna wsnos arall?'

'Am nad oes 'na ddim ifaciwîs yn dŵad i Ysgol Gerlan, siŵr iawn.'

★ ★ ★

Cerddai Glyn adref ar ei ben ei hun o'r ysgol y prynhawn hwnnw, yn teimlo'n ddigalon iawn. Pan agorodd ysgol newydd Pen y Bryn ddwy flynedd ynghynt am fod hen ysgol Carneddi'n cau, roedd Robin a Gwen wedi cael symud yno'n syth. Yno yr hoffai Glyn fynd hefyd, yn enwedig gan ei fod yn byw mor agos i'r ysgol newydd. Fe fu'n crefu a chrefu ar ei dad i adael iddo newid ysgol, er mwyn cael bod yn yr un dosbarth â Robin a dal i gael cwmni ei ffrind gorau bob dydd. Ond roedd ei dad yn benderfynol fod yn rhaid iddo aros yn yr ysgol Eglwys yn Gerlan, am mai yno y bu pob un o'r teulu o'i flaen.

11

Roedd y ddau wedi bod yn fêts ers eu diwrnod cyntaf un yn nosbarth y Bebis pan oedden nhw'n blant bach, ond poenai Glyn fod Robin yn sôn mwy a mwy y dyddiau hyn am Eric a Jac. Roedd y ddau hynny wedi symud o Ysgol Gerlan hefyd, ac yn yr un dosbarth â Robin o hyd. Erbyn meddwl, roedd pob un o fechgyn Bontuchaf yn mynd i'r ysgol newydd, pawb ond Glyn druan. Teimlai'n unig iawn wrth gerdded adref ar ei ben ei hun y prynhawn hwnnw, yn dal bocs ei gàs masg yn llipa yn un llaw a'i gôt yn y llall.

Yna yn y pellter fe welodd Robin yn dod i'w gyfarfod, yn wên o glust i glust ac yn amlwg yn fodlon iawn ar ei fyd. Ar dân eisiau cael brolio ei fod yn cael wythnos arall o wyliau yr oedd ei ffrind, ond diflannodd y wên wrth iddo weld yr olwg ddigalon ar wyneb Glyn druan pan ddaeth yn ddigon agos ato i sylwi.

'Hy! Rydach chi'n goblyn o lwcus.'

'Lwcus be?'

'Cael wsnos arall o wyliau. Dydi hynny ddim yn deg.'

'Pam na wnei di ofyn i dy dad gei di symud i Ysgol Pen Bryn aton ni?'

'Waeth i mi heb â thrio. Rydw i wedi gofyn a gofyn, ond gwrthod mae o bob tro.'

'Hidia befo, mi gawn ni fynd i fyny'r Foel i chwarae ar ôl te. A fydd Gwen ddim yno i'n pocni ni. Mae hi'n rhy brysur efo'r hogan newydd.'

'Yr ifaciwî? Mae hi wedi cyrraedd felly?'

'Do, neithiwr.'

'Sut un ydi hi?'

'Dydw i ddim wedi gweld llawer arni hi. Gracie Barlow ydi'i henw hi ac mae hi'n naw oed, medda Mam. Yr un oed â ni.'

'Ydach chi'n gorfod siarad Saesneg efo hi?'

'Wel ydan, siŵr iawn. Mae Gwen wrthi fel melin bupur yn trio ei chael hi i sgwrsio, ond un ddistaw iawn ydi hi. Does ganddi ddim llawer i'w ddweud ac mae hi'n edrach yn ddigalon iawn hefyd. Mi glywais i hi'n crio ganol nos neithiwr.'

'Hy! Dydi hi ddim yn sylweddoli mor lwcus ydi hi, ddim yn gorfod mynd i'r ysgol am wsnos arall,' oedd unig sylw ei ffrind.

School re-opened today after the Summer holidays. Six children have been admitted, four are from evacuated areas in England. As there are no evacuees using the school the work is carried on as usual.

(llyfr lòg Gerlan National School – 1 Medi 1939)

The School was supposed to open on September 5th, but owing to the Declaration of War the opening was postponed to 11th.

(llyfr lòg Llanllechid Council School – 11 Medi 1939)

14

Pennod 2

Wrth eistedd yng nghegin fferm y Foel y prynhawn hwnnw, doedd Gracie ddim yn teimlo'n lwcus o gwbl. Mae'n wir fod y bobl ryfedd yma'n swnio'n garedig iawn, ond doedd hi ddim hyd yn oed yn eu deall yn siarad. Fu hi erioed i ffwrdd o gartref o'r blaen ac roedd yn teimlo ar goll yng nghanol yr holl fynyddoedd yma. Doedd dim byd i'w weld drwy'r ffenest, dim ond caeau a chloddiau cerrig. Dim siop, dim stryd, dim sŵn moduron yn mynd heibio na phlant yn chwarae. Dim byd.

Ochneidiodd yn dawel wrth feddwl am ei rhieni ac am Jimmy. Trueni na fyddai ei mam a'i brawd bach wedi dod ddoe, meddyliodd. Roedd mamau rhai o'r plant eraill wedi mentro a phawb wedi cael hwyl ar y daith hir ar y trên. Ond wedi cyrraedd yma fe ddychrynodd hi wrth weld yr holl bobl ar y stryd ac yn yr hen neuadd fawr honno. Fe fu'n rhaid iddi eistedd yn llonydd am hir ar un o'r cadeiriau pren caled cyn i'w hathrawes ddod â mam Gwen ati o'r diwedd. Yna cafodd becyn o fwyd a'i rhybuddio i fod yn eneth dda. Erbyn hynny roedd hi wedi blino a bron â marw eisiau bwyd, ond doedd yna ddim mwy o gerdded, diolch byth. Cafodd reid mewn car a swper blasus wedi cyrraedd y fferm, ond erbyn hynny roedd hi mor flinedig fel mai prin y gallai fwyta tamaid ohono.

Wythnos i heddiw y byddai hi'n cael mynd i'r ysgol, medden nhw, am nad oedd lle i bawb ar hyn o bryd. Felly doedd dim gobaith iddi gael gweld ei ffrindiau am ddyddiau eto. Syllodd yn ddigalon drwy'r ffenest ar Gwen yn helpu ei thad i yrru'r gwartheg i'r beudy, ond roedd arni ormod o ofn yr holl anifeiliaid dieithr i fentro cam allan o'r gegin. O, roedd bywyd yn galed!

★ ★ ★

Yn y beudy cerddodd pob buwch yn araf i'w lle ac aeth Gwen ati i osod ceirch yn y mansiar iddyn nhw gael ei gnoi'n hamddenol tra byddai ei thad yn eu godro.

'Lle mae Gracie?' holodd yntau, gan eistedd ar y stôl a phlygu ei ben i lawr dros y bwced. 'Allan y dylai hi fod ar bnawn braf fel heddiw.'

'Mae arni hi ormod o ofn, medda hi.'

'Ofn? Ond mae hi'n ddigon saff yma.'

'Ydi, mi wn i. Ond dydi hi 'rioed wedi gweld gwartheg o'r blaen, cofiwch. Ddim rhai go iawn, na gwyddau. Ac mae hi ofn rheiny am ei bywyd.'

'Druan ohoni! Biti fod yr hen glagwydd 'na'n chwythu mor gas ar bawb, ond wnaiff o ddim byd i neb chwaith. Mi ddaw hi i arfer efo fo, gei di weld.'

'Mae hi ofn Mot hefyd.'

'Ofn Mot? Ond mae hwnnw'n ddigon diniwed.'

'Cyfarth ar bawb mae o, yntê?'

'Wel ia, a rhuthro allan o'i gwt fel peth gwyllt pan ddaw rhywun diarth yn agos at y buarth.'

'Dydi hi ddim yn ein dallt ni'n siarad chwaith.'

'O, paid ti â phoeni am hynny. Fydd hi fawr o dro yn dysgu Cymraeg, wyddost ti. Dim ond i ni beidio dechrau troi i siarad Saesneg efo'n gilydd.'

'Mi glywais i hi'n crio ganol nos neithiwr hefyd.'

17

'Druan ohoni. Mi fydd yn cymryd amser iddi setlo i lawr, mae arna i ofn. Rhaid i ni gofio fod ei chartra yn Lerpwl yn wahanol iawn i fan'ma.'

★ ★ ★

Dyna'n union oedd yn mynd trwy feddwl Gracie wrth iddi syllu allan drwy'r ffenest ar y wlad dawel o'i blaen. Roedd yna ychydig o dai i'w gweld, ond yn bell, bell i ffwrdd. Mor wahanol oedd hyn i gyd i'w chartref yn Lerpwl. Gallai weld yn llygad ei meddwl y ddwy res hir o dai yn wynebu ei gilydd, a dim ond lôn gul rhyngddyn nhw. Yno roedd popeth yn glòs a chynnes, pawb yn adnabod pawb ac i mewn ac allan o dai ei gilydd drwy'r dydd. Pawb yn brysur, digon o sŵn a symud a chwerthin, a'r plant i gyd yn chwarae ar y stryd neu yn iard gefn un o'r tai.

Daeth pwl o hiraeth drosti wrth feddwl am hyn i gyd, ac am ei rhieni a'i brawd bach oedd yno o hyd ynghanol yr helynt. O, pam na ddaeth ei mam yma gyda hi? Llanwodd ei llygaid wrth gofio am ei brawd bach. Dim ond tair oed oedd Jimmy, ac roedd hi'n meddwl y byd ohono. Beth petai bom yn disgyn ar y tŷ? Fyddai hi byth yn cael eu gweld nhw wedyn ac fe fyddai'n rhaid iddi aros yn y lle ofnadwy yma am byth! Stwffiodd ei dwrn i'w cheg a chau ei llygaid yn dynn.

The arrangements during the last few days for the evacuation of millions of mothers and children from unsafe areas to safer areas went off generally without a hitch ... 661 children arrived in the Bethesda district on Sunday ... The children arrived in Bethesda at about 8pm and were conducted through streets packed with spectators to the Public Hall, where they received their rations. Then, by means of buses and private cars, they all reached their destinations safely. They received a hearty welcome from the townspeople in general and from their respective billets.

(North Wales Chronicle – *8 Medi 1939*)

Pennod 3

'Hei, rydan ni'n mynd i gael un!'

Rhedodd Glyn i gyfarfod ei ffrind, ar dân eisiau cael dweud y newydd da wrtho.

'Cael be?' Edrychodd Robin arno'n ddryslyd, yn neidio i fyny ac i lawr ac yn amlwg wrth ei fodd.

'Ifaciwî, siŵr iawn.'

'Ifaciwî? Ond ro'n i'n meddwl . . .'

'Mi wn i. Roedd Dad wedi dweud nad oes 'na ddim digon o le i bawb gysgu yn tŷ ni'n barod. Dyna pam na chawson ni ddim un ar y dechrau.'

'Ond wyddwn i ddim fod 'na fwy o ifaciwîs yn cyrraedd yma. Mae rhai ohonyn nhw'n dechrau mynd yn ôl adra'n barod, am fod cymaint o hiraeth arnyn nhw. A beth bynnag, dydi Hitler ddim wedi gwneud dim byd ar ôl yr holl helynt. Mae hi mor saff yn Lerpwl ag ydi hi yma, medda Dad. Ond dydi Mam ddim am i Gracie fynd yn ei hôl eto, chwaith. Rhag ofn.'

Erbyn hyn roedd Gracie wedi dechrau setlo i lawr yn dda, yn enwedig ar ôl iddi gael symud i gysgu yn yr un llofft â Gwen. Dyna lwc i'r ast gael cŵn bach bythefnos yn ôl, meddyliodd Robin. Treuliai Gracie oriau yn syllu arnyn nhw a'u mwytho, yn amlwg wedi gwirioni'n lân. Roedd derbyn llythyr o gartref wedi bod yn help mawr iddi hefyd a chael gwybod fod pawb yn iawn yn Lerpwl bell.

'Nid ifaciwî cyffredin ydi hwn, cofia,' mynnai Glyn yn falch. 'Cefndar i mi o Birmingham ydi o . . . a mae o'n ddeg oed . . . a Freddie Roberts ydi'i enw fo . . . a mae ei fam a'i dad o wedi sgwennu i ofyn i ni ei gymryd o rhag ofn i Hitler ddechrau bomio Birmingham . . . a mae o'n cael dŵad i Ysgol Gerlan am ei fod o'n perthyn i mi . . . a . . .'

Arhosodd am eiliad i gael ei wynt ato a syllodd Robin arno'n feddylgar. Roedd Glyn yn amlwg wrth ei fodd, ond doedd o 'i hun ddim mor hapus wrth glywed y newydd. Bachgen dieithr yn dod i fyw at ei ffrind gorau? Ac yn cael mynd i Ysgol Gerlan hefyd? Fe wyddai'n iawn fod Glyn wedi bod yn unig iawn yno ac wedi gwneud ei orau i gael symud i Ben y Bryn, yn enwedig ar ôl clywed am y trefniadau newydd yno. Dim ond bob bore yr oedd y rhan fwyaf o blant yr ardal yn mynd i'r ysgol erbyn hyn, er mwyn i'r ifaciwîs gael yr adeiladau bob prynhawn. Ond doedd dim sôn heddiw am newid ysgol. Tybed fydden nhw'n dal i fod cymaint o ffrindiau wedi i'r cefnder newydd yma gyrraedd? Roedd Glyn wedi gwirioni'n lân gyda'r syniad ac fe wyddai Robin yn iawn mai dyna'r unig sgwrs fyddai ganddo o hynny allan, fel tiwn gron.

'Pryd mae o'n cyrraedd, felly?'

'Heddiw. Mae Dad newydd fynd i lawr i'r stesion i'w gyfarfod o.'

'Ond ro'n i'n meddwl fod yr ifaciwîs i gyd yn gorfod bod yn yr un ysgol efo'i gilydd. Sut mae o'n cael mynd i Ysgol Gerlan efo chdi?'

'Am ei fod o'n perthyn i mi, siŵr iawn. Ac yn siarad dipyn bach o Gymraeg hefyd, medda Mam.'

'Wyddwn i ddim fod gen ti gefndar yn Birmingham.'

'Na finna. Cefndar i Mam ydi ei dad o, wyt ti'n gweld. Ond dydi hi ddim wedi clywed oddi wrthyn nhw ers blynyddoedd.'

'O! Dydi o ddim yn perthyn yn agos iawn felly?'

'Ydi, mae o. Digon agos, beth bynnag. Ew! Mi gawn ni hwyl, gei di weld.'

'Fydd gen ti amsar i ddŵad i fyny'r Foel heddiw, cyn iddo fo gyrraedd?'

'Na fydd, sorri. Mae'n rhaid i mi fynd yn syth adra. I mi gael bod yno i'w groesawu o, medda Mam.'

'Pryd wela i di eto, felly?'

'Wn i ddim. Be am i ti gerdded draw pnawn fory i'n cyfarfod ni'n dau o'r ysgol?'

'Iawn. Wela i di fory.'

★ ★ ★

'Sais ydi o, Miss! Dydi o ddim yn deall!'

Roedd Glyn wedi dod â'i gefnder i'r ysgol ben

bore drannoeth ac wrth ei fodd yn cael ei ddangos i bawb ar yr iard. Erbyn hyn roedd y plant i gyd wedi martsio i mewn i'r ysgol yn drefnus a Miss Ellis, y brifathrawes, yn gwenu'n garedig wrth roi gair o groeso i'r bachgen newydd.

'Sais? Ond roedd eich tad yn dweud wrtha i ddoe ei fod o'n siarad Cymraeg yn iawn.'

'O ydi, mae o, Miss,' mynnodd Glyn ar unwaith, rhag ofn i'w ffrind newydd gael ei anfon i ysgol yr ifaciwîs. 'Ond dim ond "diolch yn fawr" a "diawl bach" a phetha felly mae o'n gofio. Ond mae o'n deall mwy na mae o'n siarad.'

'Wela i. Mae'n well i chi eich dau eistedd efo'ch gilydd wrth y ddesg yma felly. Er mwyn i mi gael cadw golwg arno fo a'i helpu pan fydd angen.'

Aeth y ddau i eistedd yn un o'r desgiau dwbl ym mlaen y dosbarth ac edrychai Glyn yn bwysig iawn, yn sgwario ei ysgwyddau ac yn amlwg yn falch iawn o'i ffrind newydd. Roedd wrth ei fodd am fod Miss Ellis wedi eu rhoi i eistedd gyda'i gilydd. Dyna roedd o wedi obeithio, ond fe wyddai o brofiad fod athrawon yn gallu bod yn rhai rhyfedd iawn weithiau.

Edrychai Freddie o'i gwmpas yn nerfus, yn falch fod Glyn yno'n gwmni iddo ar ei fore cyntaf yn ei ysgol newydd. Roedd clywed pawb yn siarad Cymraeg yn beth od iawn, ond roedd yn deall y rhan fwyaf o'r hyn oedd yn mynd ymlaen hefyd. Er mai Cymry oedd ei rieni, yn Saesneg y byddai ei dad yn

siarad efo'r plant bob amser. Ond roedd ei fam wedi
gwneud ei gorau i ddysgu tipyn o Gymraeg i
Freddie a'i chwaer hŷn pan oedden nhw'n blant
bach – dysgu canu 'Jî ceffyl bach' a 'Jac y do ar ben
y to' a phethau felly. Rhyfedd fel yr oedd y cyfan yn
dod yn ôl i'w gof y bore hwnnw, ond doedd o ddim
am gyfaddef hynny wrth neb. Sais oedd o, roedd
Glyn yn iawn. A Sais roedd o am fynnu bod hefyd!

Teimlai dipyn yn hapusach wrth i'r diwrnod fynd
yn ei flaen, gan fod y gwersi i gyd yn Saesneg. Roedd
y syms yn hawdd, a'r darllen hefyd. Ond pan
gawson nhw lyfr Cymraeg ar ddechrau'r prynhawn,
roedd ar goll yn lân. Welodd o erioed Gymraeg wedi
cael ei ysgrifennu o'r blaen, dim ond ar ambell i
gerdyn pen-blwydd gan ei nain. Hiraethai am fod

adre'n ôl gyda'i ffrindiau, yn cael hwyl yn gwneud pob math o ddrygioni. Yma roedd pawb yn gorfod bod yn blant da, a gwrando'n astud ar bob gair roedd yr athrawes yn ddweud wrthyn nhw. Plant da! Dyna roedd rhieni Glyn wedi bwysleisio y bore hwnnw hefyd – 'Cofiwch fod yn blant da!' Hy, doedd o ddim yn mynd i fod yn angel bach i blesio neb yn yr hen le annifyr yma.

* * *

Y prynhawn hwnnw, doedd Robin ddim yn edrych ymlaen o gwbl wrth gerdded draw i gyfeiriad Gerlan i gwrdd â'i ffrind. Fe fyddai'r bachgen newydd yno hefyd ac fe fyddai'n rhaid iddyn nhw siarad Saesneg. Dyna beth chwithig, meddyliodd, er eu bod nhw'n dysgu'r iaith bob dydd yn yr ysgol ac yntau'n cael blas ar ddarllen comics *Dandy* a *Beano*. Roedd hi'n iaith eithaf hawdd i'w darllen a'i hysgrifennu, ond yn un anodd drybeilig i'w siarad.

'Dyma fo i ti. Freddie ydi hwn. This is Robin, my friend.'

'Hi!' meddai'r bachgen byr, pryd tywyll, yn ddidaro braidd.

'Hi!' atebodd Robin, yn falch fod Glyn wedi pwysleisio ei fod yn ffrind iddo.

'Mae'n iawn i ni siarad Cymraeg, cofia. Mae o'n dallt rhywfaint, on'd wyt ti, Freddie?'

'Ydw,' meddai hwnnw. 'Dipyn bach.'

'Diolch byth!' Rhoddodd Robin ochenaid o

ryddhad. Efallai y byddai Freddie yn profi'n hen hogyn iawn wedi'r cyfan. 'Be am i ni fynd i fyny'r Foel am dro, i ni gael dangos tipyn o'r lle 'ma iddo fo?' meddai'n eiddgar.

'Na, chawn ni ddim.'

'Pam?'

'Am fod Mam wedi dweud fod yn rhaid i ni'n dau fynd yn syth adra o'r ysgol heddiw. Mae Nain a Taid Bangor yn dŵad draw acw i de, er mwyn cael gweld Freddie.'

'O, wela i.'

'Yli, welwn ni chdi ar ôl ysgol fory. Ac wedyn mi awn ni i fyny'r Foel am dro, addo i chdi. Tyrd yn dy flaen wir, Freddie, neu mi fyddwn ni'n hwyr.'

Rhedodd y ddau i fyny'r allt serth lle'r oedd cartref Glyn, gan adael Robin yn sefyll yno'n unig ar ei ben ei hun. Cychwynnodd yntau gerdded yn araf i gyfeiriad Carneddi a golwg digon digalon arno. Y tro diwethaf i nain a thaid Glyn ddod draw o Fangor am dro ar y bws oedd ar ddiwrnod pen-blwydd Glyn yn naw oed. Cafodd yntau wahoddiad i de y diwrnod hwnnw, ond doedd dim croeso iddo yno heddiw. Roedd hi'n amlwg nad oedd gan Glyn amser i feddwl am neb ond am y Freddie Roberts felltith yna, y cefnder newydd sbon o Birmingham. 'Biti am yr hen ryfel goblyn 'ma,' meddai Robin wrtho'i hun yn ddigalon. 'Mae'n newid popeth.'

Y mae amryw o wragedd a phlant a ddaeth i Gymru am loches yn mynd yn eu holau . . . Y mae'n bwysig ceisio rhwystro hyn, oherwydd er nad oes dim un o ddinasoedd Prydain hyd yn hyn wedi eu bomio, fe all hynny ddigwydd yn bur fuan.

(Y Cymro – *23 Medi 1939*)

School reopened today, adopting the Double Shift arrangement. The children of Pen y Bryn school to attend in the mornings from 9 – 12 45 and the visiting schools in the afternoon.

(*llyfr lòg Pen y Bryn Council School Infants – 11 Medi 1939*)

Pennod 4

'Dyma'ch cyfle olaf chi. Pwy oedd yn chwarae efo'r bêl galed yma ar yr iard? Pwy dorrodd y ffenest?'

Safai'r bechgyn yn un rhes o flaen desg y brifathrawes, pob un yn edrych ar y llawr gan gymryd ambell i gipolwg slei ar ei gilydd. Doedd neb am agor ei geg, am y gwyddai pawb y byddai'n rhaid wynebu Freddie a Glyn wedyn. Roedd Glyn wedi newid ers i'w gefnder ddod atyn nhw ac roedd hi'n mynd yn fwy a mwy anodd byw efo fo bob dydd. Safai Freddie'n herfeiddiol ar ben y rhes, fel petai'n herio gweddill y criw i feiddio dweud mai nhw eu dau oedd yn gyfrifol am y difrod.

'O'r gorau. Os nad oes neb am gyfadde, fe fydd yn rhaid i chi i gyd dalu am drwsio'r gwydr.'

'Ond dydi hynny ddim yn deg, Miss,' mentrodd un o'r bechgyn hynaf o'r diwedd. 'Nid ni wnaeth.'

'Pwy felly?'

Edrychodd pawb draw at Glyn a Freddie heb ddweud gair, ond roedd hynny'n ddigon i Miss Ellis.

'Yn ôl â chi i'r iard i chwarae tan nes bydd hi'n amser y gloch. A chi'ch dau, dowch yma.'

Edrychodd Freddie'n filain ar y lleill wrth iddyn nhw gerdded heibio iddo ar eu ffordd allan. Yna caeodd Miss Ellis y drws yn glep a safodd y bechgyn o gwmpas yn disgwyl yn bryderus i'r ddau ymddangos, ond ddaethon nhw ddim. Pan ganodd y gloch o'r diwedd, cerddodd pawb yn ôl i'r dosbarth yn dawel. Dyna lle'r oedd y ddau yn eistedd wrth eu desg a'u pennau i lawr, yn ysgrifennu'n brysur yr un frawddeg drosodd a throsodd ar ddarn mawr o bapur:

I must learn to respect school property and to tell the truth whatever the cost.

'Hyndryd leins gawson nhw felly,' sibrydodd Alun wrth i John ac yntau roi'r llyfrau i gadw yn y cwpwrdd ar ddiwedd y prynhawn.

'Ia, ac mi fetia i y bydd yn rhaid iddyn nhw dalu am y ffenast hefyd.'

'Mi fetia inna y bydd y Freddie 'na'n dial arnon ni am ddweud mai nhw wnaeth.'

'Ond wnaethon ni ddim. Roedd Miss Ellis yn gwybod yn iawn heb i neb agor ei geg.'

'Oedd, wn i. Ond mi wyddost ti amdano fo'n iawn. Unrhyw esgus wnaiff y tro gan hwnna i godi helynt.'

'Biti ei fod o wedi dŵad yma o gwbwl, ddweda i.'

'Ia. Roedd Glyn yn hen hogyn iawn cyn i hwnna ddifetha popeth.'

'Oedd, rwyt ti'n iawn.'

'Ond does ganddo fo ddim amser i neb rŵan.'

'Dyna mae Robin yn ei ddweud hefyd.'

'Be? Dydi Glyn ddim yn ffrindia efo Robin chwaith?' Roedd Alun wedi synnu.

'Nac ydi. Ddim cymaint ag y bydda fo, beth bynnag. Wyt ti ddim wedi sylwi nad ydi Robin yn dŵad i'w gyfarfod o o'r ysgol rŵan?'

'Rwyt ti'n iawn.'

'Mae Glyn wedi gwirioni efo'i gefndar newydd ac yn mynnu siarad Saesneg bob cyfle gaiff o.'

'Meddwl ei fod o'n glyfar, mae'n debyg?'

'Ia, ac mae o wedi anghofio'i hen ffrindiau i gyd.'

'Gwynt teg ar ei ôl o, ddweda i.'

'Ia. Mae gan Robin ddigon o ffrindiau yn Ysgol Pen Bryn ac mi ddwedwn ninna wrth yr hogia yma nad oes neb i fod yn ffrindia efo'r ddau o hyn allan.'

'Syniad da! Mi gawn ni weld sut fydd Glyn yn teimlo wedyn.'

★ ★ ★

Roedd pethau'n ddrwg yng nghartref Glyn y noson honno, unwaith y clywodd ei rieni fod yn rhaid talu am drwsio'r ffenest. Digon tlawd oedd hi arnyn nhw fel teulu gan mai dim ond tridiau o waith oedd yna i'w dad yn y chwarel bob wythnos, a hynny am gyflog isel iawn. Ddwedodd neb air am y peth wrth iddyn nhw fwyta swper chwarel, ond, wedi i Freddie fynd allan i'r tŷ bach ym mhen draw'r ardd, fe fu'n rhaid i Glyn wynebu dicter ei rieni.

'Lle rwyt ti'n meddwl ein bod ni'n mynd i gael pres i dalu am drwsio'r ffenast 'na?' holodd ei fam yn ddigalon. 'Mae hi'n ddigon anodd arnon ni fel y mae hi, yn enwedig gan fod gen i un arall i'w fwydo. Dim ond deg swllt a chwecheiniog rydan ni'n ei gael i gadw Freddie am wythnos, cofia.'

'Ond doeddan ni ddim yn trio, Mam,' protestiodd Glyn.

'Doeddach chi ddim yn trio peidio chwaith,' meddai ei dad yn siort. 'Wn i ddim be sy wedi dŵad drosot ti ers pan mae'r hogyn felltith 'na wedi symud aton ni i fyw. Does dim mis ers pan gyrhaeddodd o, ond mae o'n cael dylanwad drwg arnat ti'n barod. Rydach chi'ch dau mewn rhyw helynt o hyd ac o hyd.'

'Nac yd. . .' dechreuodd Glyn brotestio.

'Waeth i ti heb â gwadu. Ddoe ddwytha roedd un

o'r cymdogion yma'n achwyn amdanoch chi yn y chwarel. Wedi bod yn gwneud drygau ar hyd y pentra gyda'r nos, medda fo. Cnocio drysau ar ôl iddi dywyllu a rhedeg i ffwrdd wedyn.'

'Ddim Freddie a fi wnaeth. Roedd 'na blant eraill yno hefyd.'

'Gwranda di, wàs,' meddai ei dad yn ffyrnig. 'Rydan ni i gyd mewn digon o helynt efo'r hen ryfel yma heb i ti a Freddie greu mwy o drafferthion i bobol.'

'Rhag eich cywilydd chi,' ychwanegodd ei fam. 'Mae'r blacowt yn ddigon o boen ar bawb, heb i chi gymryd mantais ar y ffaith nad oes 'na ddim golau yn unman.'

'Mi gewch chi dalu am y gwydr eich hunain hefyd,' meddai ei dad yn chwyrn.

'Ond sut? Does gynnon ni ddim pres.'

'Mynd i hel coed tân i'w gwerthu bob dydd Sadwrn, dyna wnewch chi. Mi gewch chi ddechrau fory a dal ati nes byddwch chi wedi talu'r cwbwl yn ôl i dy fam. Iawn?'

'Iawn, Dad,' meddai Glyn yn ddigalon.

'A pheth arall. Os clywa i unrhyw gŵyn amdanoch chi'ch dau eto, mi geith y cythral bach 'na godi'i bac a mynd yn ei ôl adra.'

Erbyn hyn roedd Glyn bron â chrio ac yn teimlo'n ddigalon iawn. Fe wyddai fod ei dad o ddifrif pan oedd yn bygwth anfon Freddie adre'n ôl ac y byddai unrhyw esgus yn gwneud y tro. Doedd o ddim wedi cymryd at y bachgen o'r dechrau ac erbyn hyn roedd pethau'n mynd o ddrwg i waeth. Biti hefyd, achos roedd o'n meddwl y byd o'i gefnder newydd ac yn cael miloedd o hwyl efo fo. Un peth oedd yn ei boeni, nad oedd neb arall am fod yn ffrind i Freddie. Doedd yr un o'r bechgyn eraill yn fodlon chwarae efo nhw amser chwarae yn yr ysgol erbyn hyn a doedd Robin byth yn dod draw i'w gweld chwaith. Dim ots, meddyliodd. Cenfigennus oedden nhw am ei fod yn cael cymaint o hwyl efo'i ffrind newydd. Ond fe fyddai'n rhaid i'r ddau ohonyn nhw fod yn ofalus iawn o hynny allan.

Y tu allan i'r drws cefn safai Freddie, yn gwrando'n astud ar y sgwrs ac yn deall y rhan fwyaf o'r hyn oedd yn mynd ymlaen hefyd. Yn sicr roedd wedi deall fod yna obaith iddo gael ei anfon adref, dim ond iddo greu digon o drafferth a gwneud digon o niwsans ohono'i hun. Gwenodd yn slei cyn agor y drws a cherdded i mewn i ganol yr helynt.

Window broken today as boys played football.

> *(llyfr lòg Gerlan National School – 27 Hydref 1939)*

Window mended today and was paid for by the boys who broke it.

> *(llyfr lòg Gerlan National School – 2 Tachwedd 1939)*

The Government Allowance is 10/6 per week for one child and 8/6 per week if more than one is taken.

> *(pamffled y Llywodraeth* – The Feeding of Evacuated Children)

Pennod 5

'Be ar y ddaear sy'n bod ar yr hogan? Fe ddylai hi fod yn hapus, wedi cael llythyr o'r diwedd.'

Anaml iawn y byddai rhieni Gracie yn anfon gair ati a byddai'n edrych drwy'r ffenest yn eiddgar bob bore, gan obeithio gweld y postman yn croesi'r buarth. Y bore hwnnw fe ddaeth llythyr iddi o'r diwedd ac roedd wrth ei bodd pan welodd yr ysgrifen ar yr amlen. Agorodd hi'n frysiog a dechrau darllen, ond yna cododd yn sydyn oddi wrth y bwrdd brecwast a rhuthro i fyny i'r llofft. Roedd Robin a Gwen wedi cychwyn i'r ysgol ers meitin, a syllodd eu rhieni ar ei gilydd yn syn. Beth oedd wedi digwydd tybed?

'Mae'n well i mi fynd i fyny i weld be sy'n bod,' meddai'r fam o'r diwedd. 'Rhag ofn fod 'na rywbeth wedi digwydd i un o'i theulu hi.'

Dringodd y grisiau'n araf ac oedi o flaen drws y llofft gefn wrth glywed sŵn crio. Yna mentrodd gerdded i mewn yn ddistaw a gweld yr eneth yn gorwedd ar ei hyd ar y gwely, yn torri ei chalon.

'Gracie fach, be ar y ddaear sy'n bod?'

'They don't want me to go home.'

'Mynd adra? Wyddwn i ddim dy fod ti eisiau ein gadael ni.'

'O, na ... I only wanted to go home for Christmas.'

'Wela i.'

'Darllen hwn.' Gwthiodd y llythyr i'w dwylo, ysgwyd ei phen a chladdu ei hwyneb yn y glustog unwaith eto.

Roedd yn eithaf amlwg o ddarllen y llythyr swta

nad oedd mam Gracie yn awyddus o gwbl i'w chael yn ôl. Nid yn unig am na allai fforddio anfon arian y trên iddi, ond doedd yna ddim arwydd o hiraeth amdani wrth ddarllen rhwng y llinellau chwaith. Dim sôn am anrheg Nadolig, na cherdyn hyd yn oed. Fe wyddai fod rhai o'r ifaciwîs yn cael mynd adref drannoeth dros y gwyliau, ond doedd Gracie ddim wedi sôn gair am hynny. Rhaid ei bod wedi anfon llythyr i ofyn i'w rhieni, heb ddweud gair wrth neb. Doedd dim rhyfedd felly ei bod wedi bod yn disgwyl mor eiddgar bob bore am y postman, a hynny ers wythnosau bellach.

'Be wnawn ni? Rhoi'r pres iddi, er mwyn iddi hi gael mynd?'

Roedd ei gŵr wedi dod yn ôl i'r tŷ o'r buarth i gael gwybod beth oedd yn bod.

'Wn i ddim, wir. Mi wn i eu bod nhw'n dlawd iawn a bod ei thad allan o waith, ond roedd hi'n amlwg oddi wrth y llythyr nad oedd ei mam yn hiraethu rhyw lawer amdani.'

'Gwybod ei bod hi'n cael lle da yma y mae hi, siŵr iawn.'

'Ia, ond mae'r hen un fach yn hiraethu amdanyn nhw.'

'Paid â phoeni. Mae pobol wedi bod yn ffeind iawn, maen nhw'n trefnu pob math o weithgareddau ar gyfer yr ifaciwîs sy'n gorfod aros yma dros y Dolig. Mi fydd hi'n iawn, gei di weld, unwaith y daw hi dros y siom.'

'Gobeithio dy fod ti'n iawn.'

'Mae hi'n saffach yma, beth bynnag. Wyddon ni ddim pryd y bydd yr hen Hitler 'na'n dechrau bomio'r trefi mawr yn Lloegr. Ac mae Lerpwl yn siŵr o fod ar ben y rhestr ganddo fo, a hwnnw'n borthladd mor bwysig.'

'Ydi, mae'n debyg. Mi wnawn ni'n gorau iddi, beth bynnag.'

★ ★ ★

'Hei, glywaist ti?'

'Be?'

'Mae Freddie wedi mynd adra.'

'Adra i Birmingham wyt ti'n feddwl?'

'Ia, a dydi o ddim yn cael dŵad yn ei ôl ar ôl Dolig chwaith.'

'Choelia i fawr.'

'Ffaith i ti.' Roedd Eric yn bendant fod y stori'n wir.

'Ei dad wedi dŵad i'w nôl o,' ychwanegodd Jac.

'Pryd?'

'Neithiwr. Ac maen nhw wedi mynd yn ôl ar y trên ddeg heddiw.'

'Pwy sy'n dweud?' Doedd Robin ddim yn credu'r stori.

'Nain,' meddai Eric, ac fe wyddai Robin wedyn eu bod yn dweud y gwir. Roedd nain a thaid Eric yn byw y drws nesaf i Glyn a'i deulu.

'Wyddoch chi be wnaeth y diawl bach?' Roedd

Eric wrth ei fodd yn cael cyfle i adrodd yr hanes.
'Trio dwyn caneris Taid o'r cwt ym mhen draw'r

ardd. Lwc fod Nain yn ffenast llofft a'i bod hi wedi ei weld o'n estyn am y goriad i agor y drws.'

Edrychodd y ddau arall arno'n syn. Dwyn caneris? Roedd hi'n anodd credu'r peth. Doedd ryfedd iddo gael ei anfon adref felly ac fe ddylai Robin deimlo'n falch, gan fod pethau wedi bod yn ddrwg rhyngddo a'r ifaciwî o'r dechrau un. Ond doedd dim llawer o ots ganddo bellach, ac yntau'n gymaint o ffrindiau gydag Eric a Jac. Roedd y ddau yn hen hogiau iawn ac wrth eu bodd yn cael dweud y newydd da wrtho. Wel, fe fyddai Glyn yn unig iawn o hyn allan, meddyliodd. Doedd neb yn gwneud dim ag ef ers wythnosau bellach, am nad oedd ganddo amser i'w hen ffrindiau unwaith y daeth ei gefnder ato i fyw. Ond arno ef ei hun yr oedd y bai am hynny.

Roedd pawb yn awyddus i fod yn ffrind i Freddie ar y dechrau, am eu bod yn teimlo cymaint o biti drosto. Peth ofnadwy oedd bod yn bell o'ch cartref a gwybod fod eich teulu mewn perygl ddydd a nos o gael eu bomio a'u lladd. Fe wyddai Robin hynny'n iawn am fod Gracie druan yn yr un sefylla'n union. Ond roedd hi'n ffrindiau efo pawb ac yn gwneud ei gorau i siarad Cymraeg hefyd, chwarae teg iddi. Doedd Freddie ddim am fod yn ffrind i neb a wnaeth o ddim ymdrech o gwbl i wella'i Gymraeg, dim ond troi i siarad Saesneg efo Glyn bob gafael. A hwnnw'n meddwl ei fod yn glyfar, yn baglu siarad Saesneg yn ôl. Roedd Robin yn drist wrth feddwl am ei hen ffrind, ac eto allai o ddim peidio â theimlo'n falch rywsut. O'r diwedd roedd Glyn wedi cael ei haeddiant am fod mor wirion. Sut roedd o'n teimlo erbyn hyn, tybed?

Caiff yr ifaciwîs rannu yn hwyl gwyliau'r Nadolig yn y wlad . . . mae pobl yn trefnu ar eu cyfer ymhob pentref bron.

(Y Cymro – *23 Rhagfyr 1939*)

Not all the evacuee school children went home for the Christmas holidays . . . a tea party and treat was given at Nantffrancon café for 33 children . . . A Christmas tree was provided and each child received a gift – a pair of gloves, a scarf etc. together with sweets and oranges.

(North Wales Chronicle – *5 Ionawr 1940*)

Pennod 6

Gorweddai Glyn yn ei wely'r noson honno, yn methu'n lân â chysgu. Teimlai'n unig iawn wedi i Freddie fynd adre'n ôl i Birmingham y bore hwnnw ac roedd yn poeni'n arw amdano. Cafodd y ddau filoedd o hwyl yn rhannu llofft ac yn sgwrsio'n hir i'r nos, er bod ei fam a'i dad yn eu dwrdio a'u siarsio'n ddiddiwedd i fod yn dawel a mynd i gysgu. Heno roedd hi'n amhosibl setlo i lawr ac yntau'n gwybod fod Freddie yn bell i ffwrdd ac efallai mewn perygl. Mae'n wir nad oedd awyrennau Hitler wedi ymosod ar y trefydd mawr fel roedd pawb yn ofni ar ddechrau'r rhyfel, ond beth petai o wedi cymryd yn ei ben i ddechrau gwneud hynny heno, ac wedi dewis Birmingham fel targed?

Fe wyddai pawb erbyn hyn am arswyd clywed sŵn y seiren a gorfod mynd i mochel. Crwydrodd ei feddwl yn ôl i fore dydd Mercher yr wythnos cynt, pan ddigwyddodd hynny am y tro cyntaf. Dim ond ymarfer oedd o wedi'r cyfan, ond wyddai neb mo hynny ar y pryd. Roedd y plant i gyd wedi dychryn, yn enwedig pan wnaeth Miss Ellis iddyn nhw swatio o dan y desgiau ac aros yno'n dawel nes clywed yr All Clear. Tybed oedd y seiren yn dychryn pawb yn Birmingham heno?

Roedd yn flin wrth ei dad am wneud i Freddie fynd yn ei ôl yno, ac yn siomedig nad oedd ei fam wedi gwneud mwy o ymdrech i'w berswadio i newid ei feddwl. Roedd yn amau fod y ddau yn falch o gael gwared ag o, ond ar Freddie ei hun roedd y bai am yr holl helynt. Fe wyddai'n iawn, ar ôl y rhybudd gafodd y ddau ohonyn nhw am dorri'r ffenest honno, y byddai'n rhaid iddyn nhw fod yn ofalus iawn o hynny allan.

Felly pam ar y ddaear y gwnaeth o beth mor wirion â mynd i'r ardd drws nesaf i fusnesu efo'r caneris? Fe fyddai rhywun yn meddwl ei fod yn gwneud ati er mwyn cael ei hel adref. Dim ond eisiau cael golwg arnyn nhw yr oedd o, neu dyna oedd ei stori beth bynnag, ac fe wyddai Glyn yn iawn ei fod wedi gwirioni efo'r holl adar bach oedd gan Mr Wilias, taid Eric, yn y cwt ym mhen draw'r ardd. Yn anffodus roedd Mrs Wilias yn ei wylio o ffenest y llofft a bu'n rhaid iddo ddiflannu'n bur sydyn pan waeddodd hi arno i ofyn beth roedd o'n ei wneud yno. Yna, pan gyrhaeddodd ei gŵr adref o'r chwarel a dod draw i gwyno, roedd ei dad yn gandryll. Cafodd Freddie druan ffrae iawn am fod mor fusneslyd a digywilydd, ac un arall neithiwr pan gyrhaeddodd ei dad ei hun o Birmingham i'w nôl. Er i hwnnw grefu arnyn nhw i'w gadw, os byddai'n addo bod yn fachgen da o hyn allan, roedd ei dad wedi cael digon ac yn benderfynol nad oedd i gael aros funud ymhellach.

Doedd y newydd drwg fod y chwarel yn mynd i gau ddiwedd yr wythnos fawr o help chwaith, achos roedd ei fam wedi dechrau cwyno'n barod na fyddai ganddi ddigon o arian i brynu bwyd i bawb. Dyna pam y byddai'n rhaid iddo roi'r gorau i gael diod o lefrith yn yr ysgol bob canol bore o hyn ymlaen. Roedd cywilydd arno pan aeth i ddweud hynny wrth yr athrawes bore heddiw, ond roedd llawer o'r plant eraill yn yr un sefyllfa. Yn waeth na dim doedd ei esgidiau ddim yn dal dŵr, am eu bod yn dyllau i gyd. Ond fe wyddai'n iawn nad oedd gobaith iddo gael rhai newydd nes byddai'r chwarel yn ailagor.

Tybed beth oedd Freddie yn ei wneud heno? Sylweddolodd yn sydyn y byddai'n unig iawn hebddo, achos doedd ganddo neb arall yn ffrind erbyn hyn. Roedd y lleill i gyd mor genfigennus ohono am ei fod yn cael cymaint o hwyl gyda'i gefnder – hyd yn oed Robin. Cofiodd nad oedd wedi bod yn chwarae gyda'i hen ffrind ers wythnosau bellach, dim ond ei weld yn y capel ar ddydd Sul. Fe fyddai'n rhaid iddo fynd draw i fferm y Foel ar ôl yr ysgol fory am dro.

* * *

'Wel, dyma ddyn diarth. Be wyt ti'n ei wneud yma?'

Pwysodd tad Robin ar y fforch a syllu ar Glyn yn sefyll ar ganol y buarth, yn edrych yn swil ac yn anghyfforddus iawn. Fe wyddai fod y ddau fachgen wedi ffraeo am rywbeth a doedd Glyn ddim wedi bod ar gyfyl y Foel ers wythnosau bellach. Yna cofiodd iddo glywed fod ei gefnder wedi mynd adre'n ôl y diwrnod cynt a gwenodd wrtho'i hun cyn mynd ymlaen i godi'r tail gwartheg i'r ferfa.

'Ydi Robin o gwmpas?'

'Wel nac ydi, cofia. Mae o wedi mynd i lawr i'r pentra efo'i ffrindia.'

'Ffrindia?'

'Ia, Eric a Jac wyddost ti.'

'O.'

'Wedi mynd i chwilio am Gracie maen nhw.'

'Pam? Ydi hi ar goll?'

'Nac ydi, gobeithio, ond dydi hi byth wedi cyrraedd adra o'r ysgol. Welaist ti ddim golwg ohoni ar dy ffordd i fyny yma?'

'Naddo. Welais i neb.'

'Mi fydd Gwen yn cerdded i lawr i'w chyfarfod hi bob pnawn fel arfer, ond heddiw mae hi a'i mam wedi mynd i lawr i Fangor ar y bws. Rydw i'n dechrau poeni braidd, achos fydd y beth fach byth yn hwyr fel arfer.'

'Mae'r ysgol wedi cau ers meitin.'

'Ydi, rwyt ti'n iawn. Dyna pam rydw i wedi gyrru'r hogiau i lawr i chwilio amdani. Pam nad ei di i lawr ar eu holau nhw? Newydd fynd maen nhw, wyddost ti.'

'Iawn, mi a' i.'

Trodd Glyn ar ei sawdl a chychwyn yn ei ôl i lawr yr allt. Ond aeth o ddim yr holl ffordd i lawr i'r pentref chwaith. Trodd i'r chwith yng Ngharneddi a cherdded adref i Bontuchaf.

Testing of Air Raid Warning Sirens on Wednesday, December 13th, at 10.30 am.

(llyfr lòg Pen y Bryn Council School Infants – 13 Rhagfyr 1939)

Lle a chwmwl du yn hofran drosto y dyddiau hyn yw Bethesda, Arfon, oherwydd y dirwasgiad yn y diwydiant llechi. Mae'r ddwy fil o chwarelwyr yn Chwarel y Penrhyn yn gweithio amser byr er cyn i'r rhyfel dorri allan. Dydd Mawrth hysbyswyd y chwarelwyr fod y chwarel i gau o heddiw hyd Ionawr 27, sef am bum wythnos o amser.

(Y Cymro – 23 Rhagfyr 1939)

The outlook in this area is very gloomy. Out of about 2,000 men normally employed at the Quarry, only 800 have recommenced work today after a stoppage of five weeks. Many children are absent due to lack of footwear. The local Bootless Fund is far from adequate to deal with the situation. Also we find that children are unable to buy their usual quota of milk.

(llyfr lòg Pen y Bryn Council School – 22 Ionawr 1940)

Pennod 7

'The big ship sails through the alley, alley, oh . . .'

Clywai Glyn y lleisiau'n canu'n uchel rywle o'i flaen wrth iddo nesu at y tro yn y ffordd. Hen gêm wirion, meddyliodd. Yr ifaciwîs oedd wedi dod â phob math o gêmau newydd efo nhw o Lerpwl a phlant yr ardal wrth eu bodd yn eu dysgu. Yna, wedi iddo droi'r gornel, fe welai griw o fechgyn a genethod yn sefyll fel pont ar draws y ffordd. Sylwodd eu bod yn ceisio rhwystro rhywun rhag dod heibio.

'Hei! Be 'dach chi'n wneud?'

'Dim ond chwarae gêm. Pam?'

'Meindia fy fusnes, Glyn Sais.'

'Ia, dydan ni ddim digon da i chdi rŵan.'

'Ddim ers pan ddaeth y Freddie 'na i fyw efo chdi.'

'Rwyt ti'n meddwl dy fod ti'n glyfar, yn swancio siarad Saesneg efo fo.'

'Ond lle mae o rŵan, 'sgwn i?'

'Wedi mynd adra'n ôl, dyna glywais i.'

'Be wnei di hebddo fo?'

'Does gen ti ddim ofn bod ar dy ben dy hun?'

Torrodd y rheng wrth i'r bechgyn symud yn araf

a bygythiol tuag ato a dyna pryd y gwelodd o Gracie. Roedd hi'n swatio yn erbyn y wal tua hanner canllath i ffwrdd, yn amlwg wedi dychryn. Yr hen gnafon, meddyliodd, yn cymryd mantais ar un eneth ar ei phen ei hun fel hyn. Gêm oedd gêm, ond roedd hyn yn wahanol.

'Mae'n well i chi adael iddi fynd adra,' meddai'n flin.

'Pwy sy'n dweud?'

'Be fedri di wneud i ni?'

'Mae tad Robin yn poeni ei bod hi'n hwyr yn cyrraedd adra o'r ysgol. Ac mae o wedi gyrru Eric a Jac efo Robin i chwilio amdani.'

Edrychodd pawb yn anghyfforddus ar ei gilydd. Dim ond cael tipyn o hwyl yr oedden nhw a doedd neb yn awyddus i groesi Robin a'i ffrindiau.

'Dewch yn eich blaenau, wir,' meddai Emlyn Foty, arweinydd y criw. 'Does gynnon ni ddim amser i'w wastraffu efo hwn. Be am fynd i lawr i'r pentra am dro? Dowch, hogia.'

Trodd y genethod yn eu holau am Bontuchaf, ond rhedodd y bechgyn yn syth am Glyn a rhuthro heibio iddo. Ond nid cyn rhoi ambell i hergwd neu gic egr iddo wrth fynd.

'Wyt ti'n iawn, Gracie?'

'Ydw. A chdi?'

'Ydw. Wnaethon nhw rywbeth i chdi?'

'Naddo. But I'm scared to go home.'

'Paid ti â phoeni. Ddôn nhw ddim yn ôl.'

'Siŵr?'

'Ydw. Tyrd yn dy flaen. Mi ddo i efo chdi'n gwmpeini.'

'O, diolch, Glyn.'

'Mae tad Robin yn poeni amdanat ti, wyddost ti. Be ddigwyddodd felly?'

'I was walking home on me own from school and them kids wouldn't let me go past.' Roedd hi'n amlwg wedi dychryn ac yn gwneud ei gorau i gadw'r dagrau'n ôl.

'Paid ti â phoeni. Mi ddwedwn ni wrth Robin a fydd o fawr o dro yn eu setlo nhw, gei di weld.'

* * *

Ar ei ffordd i lawr yr allt am yr ail dro y prynhawn hwnnw, pwy welai Glyn yn cerdded yn araf i'w gyfarfod ac yn sgwrsio'n hapus ond Robin, Eric a Jac. Dechreuodd deimlo'n anghyfforddus iawn, yn ansicr sut i wynebu ei hen ffrind, yn enwedig gan fod y ddau arall yno hefyd. Penderfynodd mai'r peth gorau fyddai ymddwyn fel petai dim o'i le, felly cerddodd yn benderfynol i'w cyfarfod a gwên ar ei wyneb.

'Helô, hogia,' meddai'n glên.

'Pwy ydi hwn, tybed?' Edrychai Jac arno'n ffiaidd.

'Dyn diarth iawn i mi,' ychwanegodd Eric. 'Wyt ti'n ei nabod o, Robin?'

'Helô, Glyn,' meddai hwnnw'n dawel. 'Sut wyt ti?'

'Iawn.'

'Be wyt ti'n wneud yn fan'ma?'

'Dŵad draw i dy weld di ar ôl ysgol wnes i.'

'O, wela i.'

'Pam heddiw o bob diwrnod, tybed?' Roedd Jac yn dal i herian.

'Unig wyt ti, ia? Clywed wnaethon ni fod y lleidr caneris wedi cael ei hel adra'n ôl i Bimingham. Yntê hogia?' chwarddodd Eric.

'Do, mae Freddie wedi mynd ers bora ddoe.'

'Mae'n debyg ein bod ni'n ddigon da i chdi rŵan, felly.' Roedd hi'n amlwg fod y ddau wrth eu bodd yn cael hwyl am ei ben, ond digon distaw oedd Robin.

'Wel, dydan ni ddim eisiau dim byd i wneud efo chdi, wyt ti'n dallt?'

Cymrodd Jac gam bygythiol tuag ato. 'Nac oes, hogia?' meddai dros ei ysgwydd.

'Dim ffiars o beryg,' cytunodd Eric.

'Felly dos di adra nerth dy draed, wàs. A phaid â meiddio dangos dy wyneb yn fan'ma byth eto.'

Ddwedodd Robin ddim gair, dim ond sefyll yno'n fud i'w wylio'n cerdded yn araf i lawr yr allt a'i ben i lawr.

★ ★ ★

'Welson ni ddim golwg o Gracie, Dad,' galwodd Robin yn bryderus o ddrws y beudy. Roedd ei ddau ffrind wedi troi am adref ac yntau'n croesi'r buarth at y tŷ.

'Paid â phoeni, mae popeth yn iawn. Mae hi wedi cyrraedd adra'n saff.'

'Pryd?' Cerddodd i mewn i'r beudy tywyll a sefyll y tu ôl i'r stôl. Syllodd ar gefn ei dad, yn ei blyg uwchben y bwced, yn godro'n brysur.

'Newydd gyrraedd mae hi. Welaist ti mo Glyn ar ei ffordd i lawr?'

'Do, ond . . .'

'Hen hogyn iawn ydi Glyn, wyddost ti.'

'Ond . . .'

'Fo wnaeth ddanfon Gracie adra.'

'Pwy? Glyn?'

'Ia. Plant Bontuchaf wedi bod yn ei herian hi, meddai hi, a gwrthod gadael iddi basio. Lwc fod Glyn wedi eu gweld nhw.'

'Be wnaeth o felly?'

'Wn i ddim, ond mi gafodd hi lonydd ganddyn nhw wedyn, beth bynnag. Ac mi gerddodd Glyn yr holl ffordd i fyny yma'n ôl efo hi. Chwarae teg iddo fo yntê? Ia, hen hogyn iawn ydi Glyn wedi'r cwbwl.'

'Ia.' Teimlai Robin yn euog a chymysglyd iawn wrth helpu ei dad i roi'r llefrith yn y stên fawr a'i wylio'n symud at y fuwch nesaf yn y rhes.

Mae Cymru'n wynebu anawsterau mawr heddiw . . . Mae'r ifaciwîs o Loegr wedi dod ag agwedd bur Seisnig i'r wlad . . .

(Y Cymro – *30 Rhagfyr 1939*)

Pennod 8

'Be am i ni ofyn i Glyn ddŵad i chwarae efo ni?'

Roedd plant Ysgol Pen y Bryn wedi cael eu hanfon adref y bore hwnnw am fod y dŵr wedi rhewi yn y peipiau. Ychydig iawn ohonyn nhw oedd wedi cyrraedd yr ysgol beth bynnag, gan ei bod wedi dechrau bwrw mwy o eira. Erbyn hyn roedd y byd i gyd yn wyn a phawb wrth eu bodd.

'Glyn? I be mae eisiau hwnnw?'

'Sut wyddost ti fod Ysgol Gerlan wedi cau?'

'Meddwl o'n i . . .'

'Anghofia amdano fo, wir.'

'Ia, tyrd yn dy flaen. Neu mi fydd hi'n amser cinio cyn i ni gael dechrau chwarae.'

Roedd hi'n amlwg fod Eric a Jac yn anfodlon iawn i Glyn gael ymuno â nhw, er eu bod yn gwybod yn iawn fod Robin ac yntau'n dipyn mwy o ffrindiau ers gwyliau'r Nadolig. Roedd pethau wedi bod yn well rhwng y ddau wedi i Freddie fynd adref i Birmingham, yn enwedig ar ôl i Glyn fod mor ffeind wrth Gracie. Ond doedd hynny ddim yn plesio'r ddau arall o gwbl. Am fynd i sledio i lawr y llethr uwchben y fferm yr oedd y tri y bore hwnnw, ac fe wyddai Robin yn iawn y byddai Glyn wrth ei fodd yn cael cyfle i ddefnyddio'r sled newydd roedd ei dad wedi ei gwneud iddo'n anrheg Nadolig. Dilynodd y ddau arall yn ddigalon, heb wybod yn iawn beth i'w wneud. O, roedd hi'n anodd plesio pawb.

Yna'n sydyn clywodd Mot yn cyfarth a throdd i weld pwy oedd yno. Rhyw ddynes ddieithr oedd yn croesi'r buarth a'r hen gi yn tynnu'n wyllt wrth ei gadwyn wrth iddi gerdded heibio iddo. Diolch byth fod y gwyddau'n ddiogel yn y cwt, meddyliodd. Gwelodd hi'n curo ar y drws a'i fam yn ei chroesawu i mewn i'r tŷ. Pwy oedd hi, tybed? A, wel! Fe gâi wybod amser cinio ac roedd ganddo ddigon i boeni amdano'n barod.

★ ★ ★

Digon digalon oedd Robin o hyd pan gyrhaeddodd adref i ginio, er iddyn nhw gael hwyl yn sledio ac yn taflu peli eira at ei gilydd. Aeth i eistedd wrth y bwrdd a sylwi fod golwg drist ar Gwen hefyd, er bod Gracie'n wên o glust i glust ac yn methu'n lân ag eistedd yn llonydd. Beth oedd wedi digwydd tybed? A phwy oedd y ddynes ddieithr fu yno mor hir y bore hwnnw? Fu dim rhaid iddo aros yn hir cyn cael gwybod.

'Mae Gracie'n ein gadael ni,' meddai Gwen yn ddigalon.

'Wyt ti? Pam?'

'Mam yn dod i Bangor i fyw,' atebodd hithau'n hapus. 'A Jimmy.'

'Ydyn,' ategodd ei fam. 'Tad Gracie sydd wedi cael Call Up wyt ti'n gweld. Mae o'n gorfod ymuno â'r llynges ac felly mae ei mam am symud yma i Fangor am dipyn.'

'Ond does dim raid i chdi fynd i fyw atyn nhw,' protestiodd Gwen gan syllu'n ddigalon ar ei ffrind. 'Mi fyddan nhw'n byw yn ddigon agos i chdi fynd i'w gweld nhw bob dydd Sadwrn.'

'Ac rwyt tithau'n byw yn ddigon agos i fynd i weld Gracie'n aml hefyd,' meddai ei mam. Fe wyddai hi'n iawn fod yr eneth yn ysu am gael bod gyda'i theulu unwaith eto, er y byddai arni hithau hiraeth mawr ar ei hôl. Roedd hi'n un fach mor annwyl ac wedi cartrefu mor dda erbyn hyn. Trueni i hyn ddigwydd, meddyliodd, ond fe fyddai ei mam a'i brawd yn fwy diogel na phetaen nhw'n mentro aros yn Lerpwl.

Penderfynodd Robin fynd draw i Bontuchaf yn syth ar ôl cinio i weld Glyn. Roedd wedi dweud wrth Eric a Jac fod yn rhaid iddo helpu ei dad, felly fe fyddai'n well iddo gychwyn ar unwaith, rhag ofn iddyn nhw ei weld. Trueni na fyddai Glyn wedi cael symud i Ysgol Pen y Bryn efo'r lleill, meddyliodd. Ef oedd ei ffrind gorau o hyd, er y gwyddai y byddai bywyd yn unig iawn yn yr ysgol newydd heb y ddau arall. Fe wyddai'n iawn sut yr oedd Gwen yn teimlo heddiw wrth wynebu colli Gracie. Roedd y ddwy yn gymaint o ffrindiau, yn rhannu'r un llofft ac yn gwneud popeth efo'i gilydd. Pam na allai pawb fod yn ffrindiau, fel erstalwm? Roedd yr hen ryfel yma wedi difetha popeth.

Snowstorm. Attendance very low. Meeting abandoned. Lavatories frozen.

(llyfr lòg Pen y Bryn Council School – 19 Ionawr 1940)

Pennod 9

Teimlai Robin yn ddigalon iawn wedi clywed y newydd drwg am Glyn. Wedi cael ei gipio i'r ysbyty yn Llanfairfechan neithiwr yn dioddef o Scarlet Fever, meddai plant Bontuchaf yn yr ysgol heddiw. Beth bynnag oedd hwnnw, roedd yn swnio'n ddifrifol iawn. Druan o'i fam, meddyliodd, wrth gofio fod ei dad wedi cael Call Up a'i anfon i ffwrdd i'r fyddin ychydig dros fis yn ôl.

'Ga i fynd i'w weld o, Mam?' holodd wrth fwyta'i swper chwarel.

'Na chei, wir. Does neb yn cael mynd.'

'Ddim hyd yn oed ei fam?'

'Nac ydi. Neb o gwbwl.'

'Mae'n rhaid ei fod o'n wael iawn, felly?'

'O, paid ti â phoeni gormod amdano fo, ngwas i. Hen beth heintus ofnadwy ydi'r Scarlet Fever 'na, meddan nhw. Dim ond ei gadw yn yr ysbyty rhag i neb arall gael y clefyd oddi wrtho fo y maen nhw, wyddost ti. Fydd o ddim yr un un ymhen rhyw wsnos neu ddwy, gei di weld.'

Siriolodd Robin drwyddo wrth glywed hyn, ond

welodd o ddim yr olwg bryderus roddodd ei fam ar ei dad na'i gweld yn ysgwyd ei phen yn drist y tu ôl i'w gefn. Roedd y ddau wedi bod yn dipyn mwy o ffrindiau ers dechrau'r flwyddyn, er bod Eric a Jac yn dal yn anfodlon i Glyn fod yn un o'r criw. Ar ddydd Sul y câi Robin y cyfle gorau i weld ei hen ffrind ar ei ben ei hun, gan mai i'r eglwys yr oedd y lleill yn mynd. Byddai'r ddau yn cerdded adref o'r capel ac o'r ysgol Sul, yn sgwrsio am bob peth dan haul, ond doedd dim llawer o hwyl ar Glyn ddydd Sul diwethaf erbyn meddwl. Ofni ei fod yn mynd i gael German Measles yr oedd o, fel nifer fawr o blant eraill yr ardal, am fod ganddo ddolur gwddw poenus iawn. Hitler oedd yn cael y bai ganddo am anfon y frech newydd yma drosodd yn lle bomiau, ond dyna'r union math o beth y byddech chi'n disgwyl ei glywed gan Glyn, meddyliodd Robin gyda gwên.

Fe wyddai hefyd ei fod yn poeni am ei dad ac am Freddie, yn enwedig ar ôl y newydd syfrdanol wythnos yn ôl fod byddin yr Almaen wedi ymosod ar Ffrainc. Roedd clywed hynny wedi dod â'r rhyfel yn nes adref o lawer. Ychydig iawn o sôn fu am yr helynt cyn hynny, gan nad oedd yn effeithio rhyw lawer ar fywyd bob dydd pobl yr ardal. Mae'n wir fod bwyd yn brin ac wedi cael ei ddogni ers dechrau'r flwyddyn, am fod llongau tanfor y gelyn yn suddo'r llongau mawr oedd yn cario nwyddau i Brydain. Erbyn hyn roedd pawb yn gorfod cario gàs masg i bobman hefyd, rhag ofn. Ond wrth wrando ar sgwrs ei fam a'i dad y bore hwnnw, roedd Robin wedi dod i ddeall fod pethau'n mynd o ddrwg i waeth. Disgwyl i Hitler gyrraedd y Sianel a dechrau ymosod ar Brydain yr oedd pawb bellach. Roedd hynny'n ddigon drwg, ond roedd clywed fod Glyn yn yr ysbyty'n wael yn waeth o lawer rywsut.

★ ★ ★

Glyn oedd testun pob sgwrs ar iard Ysgol Pen y Bryn y bore dydd Llun canlynol hefyd. Roedd pawb yn teimlo biti drosto, yn enwedig gan fod ei dad mor bell i ffwrdd.

'Ew, mae'n rhaid ei fod o'n wael iawn, hogia,' oedd sylw Jac pan glywodd y newydd.

'Pam rwyt ti'n dweud hynny?' Roedd calon Robin yn ei wddf.

'Wel, dydyn nhw ddim yn gyrru pobol i Lanfairfechan fel arfer, nac ydyn?'

'Na, rwyt ti'n iawn. I Fangor es i i dynnu pendics erstalwm,' cytunodd Eric. Yna cododd ei siwmper a'i grys, yn falch o gael esgus i ddangos y graith fawr ar ei fol.

'Ond mae Scarlet Fever yn beth peryg,' mynnai Robin. 'Mae'n rhaid iddyn nhw ei gadw fo'n bell oddi wrth bawb, medda Mam. Rhag i ni i gyd ei gael o oddi wrtho fo.'

'Pryd geith o fynd adra tybed?' Roedd Eric yn teimlo'n euog braidd wrth gofio iddo fod mor gas wrth Glyn.

'Be am i ni sgwennu llythyr iddo fo, i godi'i galon o?'

Synnodd Robin glywed Jac o bawb yn awgrymu'r fath beth, ond roedd yn falch iawn hefyd.

'Ia, dyna be wnawn ni,' cytunodd yn eiddgar. 'Mi wnawn ni'n tri sgwennu pwt heno ac mi wna inna ei bostio fo fory.'

★ ★ ★

'Be wyt ti'n wneud, Robin?'

Daeth Gwen i lawr y grisiau a chymryd cipolwg dros ysgwydd ei brawd. Plygodd yntau ymlaen a rhoi ei fraich ar y bwrdd er mwyn cuddio'r darn papur o'i flaen.

'Sgwennu at Glyn, ond dwyt ti ddim yn cael gweld.'

'Iawn, plesia dy hun. Ydi o'n well?'

'Wn i ddim. Dyna pan rydw i'n sgwennu ato fo. I godi ei galon o.'

'Dyna rydw inna wedi bod yn wneud hefyd.'

'Be, sgwennu llythyr i Glyn?'

'Naci, llythyr i Gracie.'

'O, wela i. Pam, ydi hi'n sâl hefyd?'

'Nac ydi. Ond fedra i ddim mynd i lawr i Fangor i'w gweld hi dydd Sadwrn nesa am fod y Gymanfa yn Capel Mawr.'

'Iawn,' meddai ei brawd yn freuddwydiol gan fynd ymlaen â'i lythyr. Roedd hi'n amlwg nad oedd arno awydd sgwrsio.

'Wel, gan dy fod ti mor brysur, mi a' i allan i gau'r ieir am y nos,' meddai hithau o'r diwedd gan adael Robin i geisio gorffen y dasg ysgrifennu fwyaf anodd a wynebodd erioed.

Several absences this week are due to German Measles which is prevalent in the district. One child has been taken to the Isolation hospital suffering from Scarlet Fever. Notice of this has been sent to the Medical Officer.

(llyfr lòg Gerlan National School – 17 Mai 1940)

Bu i oresgyniad yr Almaen ar yr Iseldiroedd a Belgium, yng ngeiriau Mr. Churchill, gychwyn brwydr fwyaf hanes, ac y mae'r Cynghreiriaid yn awr yn yr afael â Hitler a'r Almaen. Dibynna tynged gweriniaeth Ewrob, ac yn wir yr holl fyd, ar y frwydr fawr hon.

(Y Cymro – *18 Mai 1940*)

Pennod 10

'Mam! Mae Glyn wedi cael dŵad adra!'

Rhedodd Robin i mewn i'r gegin a'i wynt yn ei ddwrn, gan daflu ei gàs masg ar y gadair a sefyll yno'n wên o glust i glust.

'Ydi, fe glywais i yn y siop gynnau. Go dda, yntê?'

'Ga i fynd i edrych amdano fo?'

'Cei, siŵr iawn. Mi fydd yn falch o dy weld ti.'

Fe wyddai hi'n dda ei fod wedi bod yn poeni am ei ffrind.

'Pryd? Ga i fynd rŵan?'

'Argian, na chei. Rho gyfle iddo fo ddŵad ato'i hun.'

'Ar ôl swpar chwaral?' Roedd Robin yn daer eisiau cael mynd i weld ei ffrind.

'Fyddai ddim yn well i ti aros tan fory?'

'O, na. Plîs, Mam?'

'O, o'r gorau. Mi gei di fynd draw i'w weld o ar ôl bwyd. Ond mae'n well i ti fynd i helpu dy dad efo'r godro gynta.'

'Iawn, Mam!' Rhuthrodd Robin allan drwy'r drws fel ergyd o wn, ar dân eisiau gorffen ei waith er mwyn cael rhedeg draw i Bontuchaf yn syth ar ôl swper chwarel.

* * *

Pan gamodd yn araf a distaw i mewn drwy'r drws i gartref Glyn y noson honno, cafodd fraw wrth weld ei ffrind yn edrych mor wahanol. Gorweddai ar y soffa o dan y ffenest a phlanced drosto, yn edrych yn llwyd ac yn denau. Ond daeth gwên fawr i'w wyneb pan welodd Robin a chododd ar ei eistedd yn syth, yn barod am sgwrs.

'Wyt ti'n well, wàs?'

'Ydw, yn well o lawer. Yn enwedig ar ôl cael gadael yr hen le 'na.'

'Be? Yr ysbyty? Oedd o'n lle ofnadwy?'

'Na, mi oedd pawb yn ffeind iawn yno, chwarae teg. Ond do'n i ddim yn cael gweld neb, ddim hyd yn oed Mam.'

'Oedd 'na ddim plant eraill yno?'

'O, oedd. Roedd 'na ddau hogyn o Dregarth ac un o Rhiwlas. A mi gawson ni filoedd o hwyl ar ôl i ni ddechrau mendio. Ond rydw i'n falch cael bod adra, cofia.'

'Dim ond am ddeg munud rydw i'n cael aros efo chdi heno. Rhag ofn i mi dy flino di, medda Mam. Mi ddo i eto ar ôl ysgol fory.'

'Aros di faint fynni di, Robin,' galwodd mam Glyn o'r gegin fach. 'Mi fydd cael sgwrs efo chdi yn well na dôs o ffisig iddo fo.'

Gwnaeth Robin ei hun yn gyfforddus ar y soffa a dechrau dweud hanes popeth oedd wedi digwydd yn ystod yr wythnosau y bu Glyn yn yr ysbyty. Fel yr oedd Hitler wedi concro Ffrainc a milwyr Prydain wedi gorfod dianc o Dunkirk a chroesi'r môr am adref, miloedd ar filoedd ohonyn nhw. Wyddai Glyn ddim am hyn, na bod awyrennau'r Almaen wedi bomio Llundain yn ystod y dydd am y tro cyntaf ddau ddiwrnod ynghynt.

Pan sylwodd Robin ar yr olwg bryderus ar wyneb ei ffrind wrth glywed am y bomio, gwnaeth ei orau

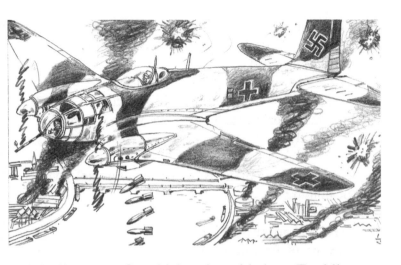

i droi'r sgwrs. Gwyddai mai meddwl am Freddie yr oedd o, ac am ei dad ei hun oedd yn y fyddin rywle yn Lloegr. Penderfynodd beidio â sôn yr un gair am y milwr o Rachub oedd wedi cael ei ladd yn Ffrainc, nac am frawd mawr Alun oedd ar goll ers helynt Dunkirk. Dechreuodd adrodd ei hanes ef ei hun yn mynd i bysgota yn afon Ogwen ac yn dal dwsin o frithyll braf, ac yna helynt y cneifio ar y fferm a'r hwyl wrth hel y defaid i lawr o'r mynydd. Ond roedd yn amlwg oddi wrth yr olwg bell ar wyneb Glyn ei fod yn dal i boeni.

'Be ydi'r bathodyn piws 'na ar dy siwmper di?' holodd ymhen sbel.

'O, mae pawb yn gorfod gwisgo un o'r rhain yn yr ysgol.'

'Pam un piws?'

'Dim un piws sy gan bawb, dim ond y plant sy'n byw yn rhy bell o'r ysgol i gael mynd adra pan fydd y seiren yn mynd.'

'Lle fyddwch chi'n gorfod mynd felly?'

'I dai pobol sy'n byw yn ddigon agos i'r ysgol. Mae plant Gerlan yn gwisgo rhai coch, gwyrdd ydi Braichmelyn, Carneddi'n wyn ac Adwy'r Nant yn felyn.'

'Pam nad ydi plant Braichmelyn yn cael gwisgo rhai melyn?'

'Wn i ddim.'

'Hy! Rêl athrawon! Dim synnwyr cyffredin!'

Gwenodd Robin. Yr un hen Glyn oedd o wedi'r cwbl!

* * *

Pan alwodd Robin i'w weld drannoeth, roedd yn edrych yn well o lawer. Roedd wedi gallu cerdded at y giât i'w gyfarfod, yn amlwg gyda rhyw newydd cyffrous i'w rannu.

'Be feddyliet ti? Mae Freddie'n dŵad yn ei ôl aton ni.'

'Freddie? Pryd?'

'Fory.'

'O!'

'Cael llythyr wnaethon ni bora heddiw ac mae Mam wedi gyrru teligram i ddweud fod yn iawn iddo fo ddŵad.'

'Ofn i Hitler ddechrau bomio Birmingham maen nhw?'

'Ia.'

'Fyddi di'n falch ei gael o'n ôl yma?'

'O, byddaf. Mae hi'n beryg bywyd yn y trefydd mawr 'na, meddan nhw. Mi fydd yn fwy saff yma efo ni.'

'Bydd . . . ond . . .'

'Dwyt ti ddim yn licio Freddie, nac wyt?'

'Codi twrw efo pawb mae o, yntê? Ddim am fod yn ffrind i neb ond chdi, a ddim am i chdi fod yn ffrind i neb arall chwaith.'

'Ond mae biti drosto fo.'

'Ydi, mi wn i hynny'n iawn. Mi fydd yn well iddo fo fod yma nag yn Birmingham. Roedd Dad yn dweud fod y bomio'n ofnadwy yn Llundain echnos.'

'Dyna chdi! Birmingham fydd nesa, gei di weld. Mae Mam am gael gair efo fo beth bynnag, i'w siarsio fo i fyhafio'n well y tro yma. Ac mi wn i be fyddai gan Dad i'w ddweud wrtho fo, petai o adra.'

* * *

Freddie gwahanol iawn ddaeth i lawr o'r trên yng ngorsaf Bethesda y dydd Sadwrn hwnnw, wedi teithio'r holl ffordd ar ei ben ei hun a'r giard yn gofalu amdano. Fe wyddai'n iawn nad oedd fawr o groeso iddo gan neb ond Glyn ac roedd hynny'n ei boeni. Wedi treulio noson ar ôl noson mewn cuddfan o dan y ddaear a cheisio cysgu ar lawr ar hen fatres galed, fe fyddai'n nefoedd cael rhannu ystafell gyda Glyn unwaith eto heb boeni fod bom yn mynd i ddod i lawr ar ei ben unrhyw funud. Ond doedd o ddim yn edrych ymlaen i weld y bechgyn eraill chwaith, am ei fod yn gwybod yn iawn na fyddai llawer o groeso iddo ganddyn nhw. Pam tybed? Roedd pawb i'w weld yn ffrind i Glyn pan ddaeth o yma'r tro cyntaf. Tybed ai arno ef ei hun roedd y bai? Penderfynodd y byddai'n gwneud yn siŵr fod pethau'n wahanol iawn y tro yma.

Wedi digwyddiadau dramatig, penderfynodd Llywodraeth Ffrainc na allai barhau'r frwydr. Wedi cwblhau trafodaethau gyda'r Almaen a'r Eidal, derbyniwyd cadoediad ac fe beidiodd yr ymladd yn y wlad fore Mercher, 26 Mehefin.

(Y Cymro – *29 Mehefin 1940*)

Full rehearsal of ARP precautions tried out this morning. The area is divided into districts...
Pupils living near the school go home immediately warning is given. Those living at a distance go to houses near school for protection. Teachers take charge of the various districts named and accompany the groups of children home. The various districts have distinctive colours, the children wearing these colours at all times. Gas masks are brought daily and the children are familiarised with their use.

(llyfr lòg Pen y Bryn Council School – *28 Mehefin 1940*)

Pennod 11

Pan ganodd y seiren i rybuddio fod y gelyn ar ei ffordd, roedd pawb yn meddwl mai ar eu ffordd yn ôl o Lerpwl yr oedd awyrennau'r Almaen unwaith eto. Er hynny, roedd yn rhaid ufuddhau i'r rhybudd a mynd i gysgodi, rhag ofn. Rhedodd Robin a'i dad i'r tŷ o'r buarth a daeth Gwen i lawr y grisiau o'r llofft ar garlam.

'Dowch yn reit sydyn. Pawb o dan y bwrdd!' galwodd eu mam dros ei hysgwydd, gan osod hen gôt dros y drych ar y silff ben tân a gwneud yn siŵr fod y llenni duon ar y ffenest wedi eu cau'n dynn. Yna gwyrodd hithau i lawr o dan y bwrdd mawr derw a swatiodd pawb yno'n dawel i wrando ar ru'r awyrennau yn yr awyr uwchben.

'Dim ond mynd drosodd y maen nhw heno eto,' ceisiodd eu tad eu cysuro. 'Mi glywn ni'r All Clear mewn munud neu ddau, siawns.'

Yr eiliad nesaf fe ddaeth rhyw sŵn chwibanu rhyfedd o rywle uwchben – yn nes ac yn nes, yn uwch ac yn uwch. Yna ffrwydrad sydyn nes bod y ddaear yn crynu! Yna rhyw olau rhyfedd, yn

treiddio hyd yn oed trwy lenni duon y blacowt.
Gafaelodd Gwen yn dynn yn ei mam a rhoddodd
hithau ei breichiau amdani i'w chysuro.

'Dyna ti, Gwen fach,' meddai. 'Mi fydd popeth
drosodd toc, gei di weld.'

'Be oedd hwnna?' holodd Robin, wedi dychryn.
Yna daeth ffrwydrad arall, ddim mor agos atyn
nhw'r tro hwn. 'Ydyn nhw'n ein bomio ni, Dad?'

'Wn i ddim, wir, ond mae'n swnio felly. Dal d'afael, ngwas i. Mynd adra o Lerpwl y maen nhw, ac yn gollwng y bomiau sydd ganddyn nhw ar ôl.'

Swatiodd pawb yn dawel eto, pob un â'i feddyliau ei hun. Am Gracie a'i theulu y poenai Gwen. Gobeithio nad oedd bom wedi disgyn yn unlle'n agos iddyn nhw ym Mangor, bum milltir i ffwrdd. Lwc nad oedden nhw yn Lerpwl o hyd, meddyliodd. Mot druan oedd ar feddwl Robin, a'r defaid allan ar y mynydd. Fe fyddai'r rheiny wedi dychryn yn ofnadwy ac yn rhedeg yn wyllt i bob cyfeiriad. Gobeithio fod yr ieir yn iawn, meddai eu mam wrthi ei hun. Fe wyddai'n iawn rhai mor hawdd eu styrbio oedd y rheiny, a hithau'n dibynnu ar eu hwyau i gael tipyn o arian ychwanegol i fyw arno. Disgwyl yr ail seiren yr oedd eu tad, er mwyn cael mynd allan yn syth i weld a oedd y gwartheg yn iawn, a'r holl adeiladau hefyd. Roedd y bom cyntaf wedi ffrwydro'n agos iawn atyn nhw.

* * *

'Ydi pawb yn iawn yma?'

Roedd Glyn wedi achub ar y cyfle cyntaf i redeg draw i fferm y Foel drannoeth. Ychydig iawn o blant oedd yn yr ysgol y bore hwnnw, ar ôl holl ddychryn y noson cynt, ac fe anfonodd y brifathrawes bawb adref amser chwarae. Digwyddodd yr un peth yn Ysgol Pen y Bryn hefyd, felly roedd Robin yno'n ei ddisgwyl.

'Rydan ni i gyd yn saff, diolch byth. A Gracie hefyd. Mi welodd Mam Ellis y plisman yn y siop gynnau ac mi ffoniodd o Fangor i holi, chwarae teg iddo fo. Be amdanoch chi?'

'Ydan, pawb yn iawn. Ew, dyna i ti glec oedd yr un gynta, yntê?'

'Ia. Lle syrthiodd hi tybed?'

'Yn Rachub, meddan nhw. Mi gafodd un hen wraig ei lladd.'

'Ew, do? Dyna i ti ofnadwy.'

'Ia. Ac mi gafodd sied dyn drws nesa i ni ei tharo hefyd.'

'Be? Bom yn disgyn arni hi?'

'Naci. Fflêr yn mynd drwy'r to ac yn llosgi coesau pren y tŵls i gyd yn lludw.'

'Fflêr? Be ydi peth felly?'

'Tân maen nhw'n ei ollwng i lawr o'r awyr i weld y ddaear o danyn nhw. I gael gwybod yn iawn lle i'w fomio.'

'Sut gwyddost ti hynny?'

'Freddie oedd yn dweud.'

'O! Ble mae hwnnw gen ti?'

'Wedi mynd i lawr i'r pentra i nôl negas i Mam.'

'Gwas bach i chdi ydi o rŵan, felly?' meddai Robin gyda gwên.

'Na, fo oedd eisiau mynd. Mae o'n gwneud ei orau i blesio Mam y dyddiau yma.'

'Mae o'n trio'n galed i blesio'r hogia hefyd.'

'Ydi, chwarae teg iddo fo. Ac yn gwneud ei orau i siarad Cymraeg efo pawb.'

'Biti na fasa fo wedi gwneud hynny y tro cynta yntê? Yn lle bod mor annifyr.'

'Ia, ond hen hogyn iawn ydi o, wyddost ti. Ac mae o'n haeddu cael bod yn un o'r criw bellach.'

'Mi fydd yn rhaid iddo fo berswadio'r hogia ei fod o wedi newid cyn i hynny ddigwydd, mae arna i ofn.'

'Bydd, rwyt ti'n iawn. Ond be fedar o wneud?'

meddai Glyn yn ddigalon. O, roedd hi'n anodd plesio pawb.

Nos Fawrth oedd y waethaf eto yn hanes bomio'r trefydd ar lannau Merswy. Ond methodd y gelyn gyrraedd ei brif amcan, sef difrodi'r dociau. Er hynny, dinistriwyd cartrefi ac adeiladau yn y cyffiniau, lladdwyd nifer o bersonau ac anafwyd llawer.

(Y Cymro – *27 Medi 1940*)

In a North Wales mountain village, one woman was killed and her daughter and two grandchildren slightly injured when the district had its first air raid ... The raiders dropped flares, which lit up the sky for many miles, and then followed with many explosives and incendiary bombs. Most of the high explosives fell harmlessly in fields and did no damage.

(North Wales Chronicle – *27 Medi 1940*)

Pennod 12

Fe ddaeth cyfle Freddie i wneud rhywbeth yn gynt nag y breuddwydiodd neb. Ar ei ffordd adref o'r Stryd Fawr y bore hwnnw, penderfynodd gymryd y llwybr tarw dros hen chwarel Pantdreiniog yn lle mynd i fyny allt Pen y Bryn. Roedd yn gynt o lawer ac fe fyddai'n osgoi'r bechgyn eraill hefyd. Neu dyna roedd o'n ei obeithio, beth bynnag. Byth ers iddo ddod yn ei ôl cyn gwyliau'r haf, fe deimlai'n fwy unig nag erioed. Erbyn hyn roedd Glyn wedi dod yn fwy o ffrindiau gyda Robin a'r bechgyn eraill, ond fe wyddai'n iawn nad oedd llawer o obaith iddo ef gael ymuno â'r criw.

Safai olion yr hen chwarel yng nghanol y pentref, ei thomen yn rhannu'r ardal yn ddwy a'r twll mawr lle bu dynion yn cloddio am lechi erstalwm yn llyn dwfn, peryglus, llawn o ddŵr glaw. Roedd clogwyn serth ar dair ochr iddo a llethr i lawr ato o'r llwybr ar yr ochr arall. Byddai rhieni yn siarsio eu plant i beidio â mynd yn agos at y lle, ond roedd brain a gwylanod yn nythu ar y clogwyn a hynny'n dynfa i fechgyn y fro, yn enwedig yn y gwanwyn. Roedd y llwybr troed heibio i'r pwll yn boblogaidd gan bobl mewn oed hefyd, a chan blant yr Ysgol Sir oedd yn byw yng Ngharneddi.

Wrth iddo gerdded heibio i ben y pwll y bore hwnnw, fe glywai Freddie sŵn lleisiau'n dod o rywle islaw. Rhywun yn chwarae ar lan y pwll, meddyliodd, wrth sefyll i wrando ar y gweiddi a'r chwerthin yn codi i fyny o'r dyfnder islaw, ac yna sŵn rhywun yn taflu cerrig i'r dŵr. O, na! Ffrindiau Robin oedd yno, gallai adnabod lleisiau Eric a Jac. Prysurodd yn ei flaen er mwyn mynd o'u golwg yn gyflym, er y byddai wedi rhoi'r byd i gyd yn grwn am gael bod yno'n rhannu yn yr hwyl, yn un o'r criw.

★ ★ ★

Yna'n sydyn daeth sŵn gwahanol iawn i'w glustiau. Sgrech uchel, splash fawr a thawelwch llethol! Ymhen eiliad neu ddwy clywai leisiau cynhyrfus yn gweiddi am help ac yn galw ar rywun i ddal gafael. Rhedodd Freddie nerth ei draed i lawr y llethr at lan y pwll, wedi anghofio popeth yn ei bryder fod Glyn yno ac mewn perygl. Pan gyrhaeddodd y gwaelod roedd yr hyn a welodd yn gwneud i'w galon guro fel gordd. Safai criw o fechgyn ar lan y pwll gryn bellter oddi wrtho, pawb yn gweiddi ac yn syllu'n ofnus ar y dŵr. Edrychodd yntau i'r un cyfeiriad ac roedd yr hyn a welodd yn ddigon i yrru ias drwyddo. Corff yn gorwedd ar wyneb y pwll a'i ben i lawr, yn gafael mewn llechen fawr oedd yn ymestyn allan fel silff o'r lan. Sylwodd fod y dwylo'n gollwng eu gafael yn raddol a bod y corff yn llithro'n araf i ganol y pwll.

Roedd y bechgyn eraill yn rhy bell i wneud dim, ond rhedodd Freddie ato ar garlam gwyllt, gorwedd i lawr ar y llechen, gwthio ei hun allan uwchben y dŵr a dal yn dynn yn yr un llaw oedd bron iawn â llithro o'i gyrraedd.

'Dal d'afael, Freddie!' Clywai lais yn galw o ochr arall y pwll. 'Mi ddown ni yna atat ti mewn chwinciad!'

Rhedodd y criw nerth eu traed i'w helpu i dynnu'r corff i'r lan. Bu'n rhaid iddyn nhw dynnu Freddie'n ei ôl gerfydd ei draed yn gyntaf, yn araf a gofalus, ac yna ei helpu i dynnu pwy bynnag oedd yno o'r pwll. Nid Glyn oedd o beth bynnag, meddyliodd gydag ochenaid o ryddhad, wrth sylwi ar y dillad oedd amdano. Ond hyd yn oed wedi iddyn nhw gael y truan i'r lan a'i droi ar ei ochr i gael y dŵr allan o'i stumog, roedd yn anodd dweud pwy oedd o gan fod ei wyneb yn waed i gyd.

'Go dda ti, Freddie. Rwyt ti wedi achub ei fywyd o.'

Roedd pawb yn gwenu arno'n gyfeillgar ac yn curo ei gefn.

'Ydi o'n fyw?' holodd yntau.

'Wyt ti'n iawn, Eric?' meddai Jac yn bryderus, gan ei droi ar ei gefn yn ofalus.

Dechreuodd Eric riddfan yn isel a phoeri'r dŵr budr a'r llysnafedd o'i geg. Sylwodd Freddie fod briw dwfn ar ei dalcen, a hwnnw'n gwaedu dros ei wyneb gwlyb nes gwneud iddo edrych fel petai'n gwisgo masg coch, sgleiniog.

'Help! Help!' gwaeddodd pawb mewn dychryn, wrth sylweddoli o'r diwedd na allen nhw byth ei gario i fyny i'r llwybr i'w gael adref yn ddiogel.

Wrth ryw lwc roedd dau ddyn yn cerdded heibio ar hyd y llwybr uwch eu pennau.

'Be sy, hogiau? Ydach chi'n iawn i lawr fan'na?'

'Na, mae 'na hogyn wedi syrthio a brifo'i ben.'

'Fedrwch chi ddŵad i lawr i'n helpu ni?'

'Daliwch eich gafael. Mi fyddwn ni efo chi rŵan.'

★ ★ ★

Cariodd y ddau ddyn Eric i fyny'r llethr at y llwybr a'i osod yn ofalus i orwedd ar y gwair.

'Mi fydd yn rhaid iddo fo weld doctor, mae angen pwythau yn y briw 'ma,' sylwodd un, gan blygu i lawr a thynnu hances o'i boced i sychu'r wyneb gwaedlyd.

'Be ddigwyddodd felly?'

'Syrthio i lawr o ben fan'na wnaeth o,' meddai Jac gan bwyntio draw at y clogwyn.

'Be ar y ddaear oedd o'n ei wneud yn mentro i'r fath le?' holodd y llall yn sarrug.

Edrychodd pawb ar ei gilydd yn euog, ond ddwedodd neb yr un gair.

'Mae o'n lwcus iawn ei fod yn fyw. Sut gawsoch chi o i'r lan?'

'Hwn wnaeth ei achub o,' meddai Jac gan bwyntio at Freddie a gwenu'n gyfeillgar arno cyn mynd ati i egluro beth yn union oedd wedi digwydd.

'Wel, mi fuost ti'n ddewr iawn, machgen i,' meddai'r dyn wedi clywed y stori. 'Yn mentro dy fywyd fel'na. Be ydi dy enw di felly?'

'Freddie Roberts.'

'Nid chdi ydi'r ifaciwî sy'n byw efo Glyn a'i fam yn Bontucha?'

'Ia.'

'Sais ydi o?' holodd y dyn arall.

'Naci tad,' mynnai pawb. 'Un ohonon ni wyt ti rŵan, yntê Freddie?'

'Ia,' cytunodd yntau'n falch.

'Wel da iawn ti, machgen i. Pwy ydi hwn sy wedi brifo?'

'Eric Wilias.'

'Lle mae o'n byw?'

'Hen Barc.'

'O, hogyn Twm ydi o felly?'

'Ia.'

Edrychodd y ddau ddyn ar ei gilydd fel petaen nhw'n ceisio penderfynu beth i'w wneud nesaf.

'Fydd ei dad o ddim adra, mae o'n gweithio yn y chwarel,' sylwodd un.

'Ac mae'n well i ni beidio dychryn ei fam wrth iddi weld yr olwg sy arno fo. Be am fynd â fo'n syth i lawr i'r syrjeri?' awgrymodd y llall.

'Ia, ac mae'n well i un ohonoch chi fynd i ddweud wrth ei fam be sy wedi digwydd.'

'A'r gweddill ohonoch chi, ewch adra ar eich union,' meddai'r dyn cyntaf yn chwyrn. 'Be ar y ddaear ddaeth i'ch pennau chi i fentro i lawr i'r fath le?'

Edrychodd pawb ar ei gilydd eto. Doedd dim diben ceisio egluro eu bod wedi cael eu gollwng o'r ysgol yn hollol annisgwyl ac wedi bod yn crwydro o gwmpas yn chwilio am rywbeth i'w wneud. Eric welodd yr olion tân yn y coed mân ar ochr y clogwyn a mynnu mentro i fyny i weld ai fflêr oedd wedi disgyn yno y noson cynt.

'Sut rydan ni'n mynd i'w gario fo'r holl ffordd i lawr i'r syrjeri?' meddai un dyn, gan grafu ei ben.

Ar y gair fe ddaeth gwraig heibio yn gwthio plentyn bach mewn cadair olwyn. Pan welodd hi beth oedd wedi digwydd, fe gododd y plentyn o'r gadair ar unwaith er mwyn iddyn nhw gael rhoi Eric ynddi i'w gludo i lawr at y doctor ar frys. Roedd pawb wedi dychryn gormod hyd yn oed i wenu wrth weld eu ffrind yn cael ei rowlio i lawr yr allt, yn union fel babi. Fe wyddai pob un ohonyn nhw hefyd eu bod yn wynebu coblyn o ffrae, os nad chwip din, am fentro mynd i'r hen chwarel i chwarae. Dim ond un o'r criw oedd yn hapus wrth gerdded adref y bore hwnnw. Roedd Freddie uwchben ei ddigon!

Air raid on the district the previous evening. Although some bombs fell quite near the school, no damage was done ... Attendance was cancelled for the day.

(llyfr lòg Pen y Bryn Council School – 25 Medi 1940)

*Yr Evacuees yn mynd yn ôl... Y plant yn lân a destlus
a'r rhai oedd wedi eu gwarchod am bum mlynedd yn
teimlo'r gwahanu yn fawr. Y plant hefyd yn sylweddoli
fod y diwrnod ymadael wedi dod ac yn torri i lawr.*

(llyfr lòg Cefnfaes Council School – 29 Tachwedd 1944)